D1061002

Il y a 65 millions d'années, un énorme astéroïde, ou une comète, s'écrasa dans la province du Yucatan, au Mexique. Une quantité considérable de poussière fut projetée dans l'atmosphère à la suite de l'impact et obscurcit le ciel pendant plusieurs mois, empêchant ainsi les rayons du soleil d'atteindre le sol. Cela provoqua un grand bouleversement climatique qui, selon certains scientifiques, entraîna la disparition de nombreuses espèces végétales et animales, comme les dinosaures. Les alligators, qui ressemblaient déjà beaucoup à ceux que l'on peut observer aujourd'hui, survécurent en s'adaptant à un nouvel environnement.

Depuis cette époque lointaine, le climat de la planète a changé. Aujourd'hui, seules deux espèces d'alligators peuvent encore être observées dans leur milieu naturel: l'alligator américain, qui fait l'objet de ce livre, et l'alligator de Chine, dont il ne reste plus qu'une centaine d'individus.

Les alligators, que l'on regroupe avec les crocodiles et les gavials dans l'ordre des crocodiliens, ont un ancêtre commun avec les dinosaures: le thecodont, qui vivait il y a près de 200 millions d'années. C'était un petit reptile, d'environ 1,50 m, dont on a retrouvé des fossiles et qui, pense-t-on, marchait sur ses pattes de derrière.

Le mot alligator est très certainement une déformation du mot espagnol: «el lagarto» qui désigne un lézard. Et l'alligator ressemble bien à un énorme lézard. C'est l'impression que l'on a, en le regardant avancer, lorsque l'on est allongé sur le sol. Quelle drôle d'idée de s'allonger ainsi, devant un animal aussi dangereux, me direz-vous. C'est pourtant dans cette position que j'ai eu ma première rencontre de proximité avec ce reptile. Et cela a bien failli tourner au drame ! Cela se passait dans le parc de Brazos Bend, au Texas, où je suis resté plusieurs mois pour photographier et filmer les alligators dans leur milieu naturel. Chaque matin, l'un d'entre eux traversait le sentier, toujours au même endroit, pour se rendre jusqu'au lac où il passait la journée. Je voulais le photographier au ras du sol pour avoir une perspective différente. Un jour, je l'ai vu arriver et me suis allongé par terre avec mes caméras. Je devais certainement ressembler à une grosse proie car il a soudainement changé de direction et s'est dirigé vers moi à vive allure. J'ai pris une dizaine de photos et me suis relevé alors qu'il n'était plus qu'à quelques mètres. Ses mâchoires se sont refermées en claquant dans le vide. Je ne suis pas près d'oublier cette rencontre avec le plus grand prédateur des marais du sud des États-Unis. Les alligators ne sont généralement pas agressifs envers l'homme, mais il ne faut pas les provoquer.

Les alligators ont survécu pendant des millions d'années. Ils ont cependant bien failli disparaître au cours du siècle dernier à cause de la chasse intensive et du braconnage. Il y avait une telle demande de peaux, qui servaient à la fabrication de sacs, chaussures et autres accessoires à la mode (*voir photo*), que plusieurs milliers d'entre eux étaient tués chaque année. Entre 1930 et 1940, on estime en avoir tué un à deux millions uniquement en Floride. C'est au cours des années 1960 que l'espèce fut totalement protégée. Depuis cette époque, la population d'alligators a augmenté. Une chasse, très contrôlée, est à nouveau autorisée dans certains États américains comme le Texas et la Louisiane. Les peaux s'achètent aujourd'hui dans des fermes d'élevage.

Philippe Henry
E-mail: philippe_henry@hotmail.com

Remerciements au Dr Louise Hayes-Odum, à Jerry Bartel, Dennis Jones, Sharon Hanzik, David Heinicke, Carlos Torres, au Dr Henry Gomez, à Eddie Edson, Bill et Freddilee Howell, David Beard et toute l'équipe du « Ye Olde Gator Shope ».
Les illustrations des pages 46-47 sont de Urs Woy, Erlenbach-Zurich, extraites du « Guide d'identification CITES » (www.cites.org)

Loi n° 49.956 du 16 juillet 1949 sur les publications destinées à la jeunesse : mars 2003
Dépôt légal : mars 2003
Imprimé en France par Pollina à Luçon - n° L89393-A

PHILIPPE HENRY

L'ALLIGATOR

Photographies de l'auteur

ARCHIMÈDE
l'école des loisirs
11, rue de Sèvres, Paris 6e

La chanson des alligators

Mai. Le jour se lève dans le parc de Brazos Bend. Le lac Elm est recouvert d'une végétation aquatique dense et il est parfois difficile de faire avancer le canot. Il fait froid. Une légère brise disperse un dernier voile de brouillard. Au bruissement des herbes se mêlent des sons rauques qui semblent venir du plus profond des eaux noires et qui vous fichent une belle frousse si

En grognant ainsi, la gueule pointée vers le ciel, les alligators mâles attirent les femelles sur leur territoire et dissuadent les autres mâles de s'y aventurer.

Le parc de Brazos Bend est bordé par la rivière Brazos qui était, en 1845, une des principales voies commerciales pour le transport du coton.

vous n'en connaissez pas l'origine. C'est une bien curieuse symphonie qui ne résonne plus que dans les marais du sud des États-Unis, depuis la Caroline du Nord jusqu'au Texas. Ce sont les grognements des alligators. Dissimulés dans le fouillis végétal, invisibles, ils sont là et nous observent, leurs yeux seuls dépassant de la surface de l'eau. Ils grognent comme des fauves pour annoncer leur présence. C'est la saison des amours. Le soleil a repris sa course.

Les grands hérons bleus, les dendrocygnes et les urubus à tête rouge s'envolent pour aller se nourrir. Nous nous approchons d'un site où nichent les grandes aigrettes lorsque j'aperçois un alligator, immobile entre deux eaux, la gueule grande ouverte. Il resserre lentement ses mâchoires et arque son corps, ne laissant émerger que sa tête et sa queue. Il pointe la gueule vers le ciel et grogne en faisant vibrer l'air dans sa gorge. D'autres lui répondent. C'est bientôt un véritable grondement qui roule sur le lac. Des dizaines d'alligators font trembler le marais.

Les dendrocygnes à ventre noir sont originaires du Mexique. Aux États-Unis, on ne les rencontre que dans le sud du Texas et de la Louisiane.

Les urubus à tête rouge font partie du même ordre que les cigognes et les flamants roses. Ils se nourrissent principalement de restes d'animaux morts qu'ils peuvent repérer de très loin grâce à un odorat développé.

Le lac Elm abrite peut-être une centaine d'alligators. Ils se dissimulent parfaitement dans la végétation dense qui recouvre le lac.

Page de droite : Avant de plonger, l'alligator ferme ses narines grâce à de petites valvulves et protège ses yeux en rabattant dessus des membranes transparentes, dites nictitantes.

Les alligators font partie de l'ordre des crocodiliens. Ils présentent des caractères anatomiques plus évolués que les autres reptiles. Ils ont, entre autres, un cœur à quatre cavités qui leur permet de réguler leur circulation sanguine en fonction de la température.

Besoin de chaleur

Un peu plus tôt cette année, c'est en discutant avec mes deux neveux, Luc et Hugo, que m'est venue l'idée de réaliser un reportage sur les alligators du Texas. C'est au mois de mai que j'arrivai dans le parc de Brazos Bend, où je retrouvai le Dr Louise Hayes-Odum, biologiste de la faune sauvage, qui les étudie depuis plusieurs années. Aujourd'hui, c'est en sa compagnie que nous découvrons le lac Elm.

Vers midi, le vent se lève. Un alligator nage dans le sillage du canot. Sa tête plate et allongée est recouverte de lentilles d'eau, une plante très commune, qui semble faire partie de son camouflage. Il se dirige vers la berge et s'allonge dans la végétation, sous le soleil brûlant. Il a le ventre gonflé de celui qui vient de faire un festin. Sa peau sombre absorbe rapidement la chaleur qui est un élément indispensable à sa survie. Les alligators qui sont couchés dans l'herbe, ou allongés dans l'eau peu profonde, sous le soleil, au bord d'un lac ou d'un bayou, ne sont pas là uniquement pour faire la sieste, mais aussi pour se réchauffer. Ce sont des animaux à sang froid qui dépendent de la chaleur ambiante pour élever la température de leur corps. Ils digèrent beaucoup plus facilement si elle se maintient au-dessus de 27 degrés. Pendant les périodes les plus froides de l'hiver, ils peuvent jeûner pendant de longues semaines. Ce besoin de chaleur explique pourquoi on ne trouve l'alligator américain que dans les régions très chaudes des États-Unis.

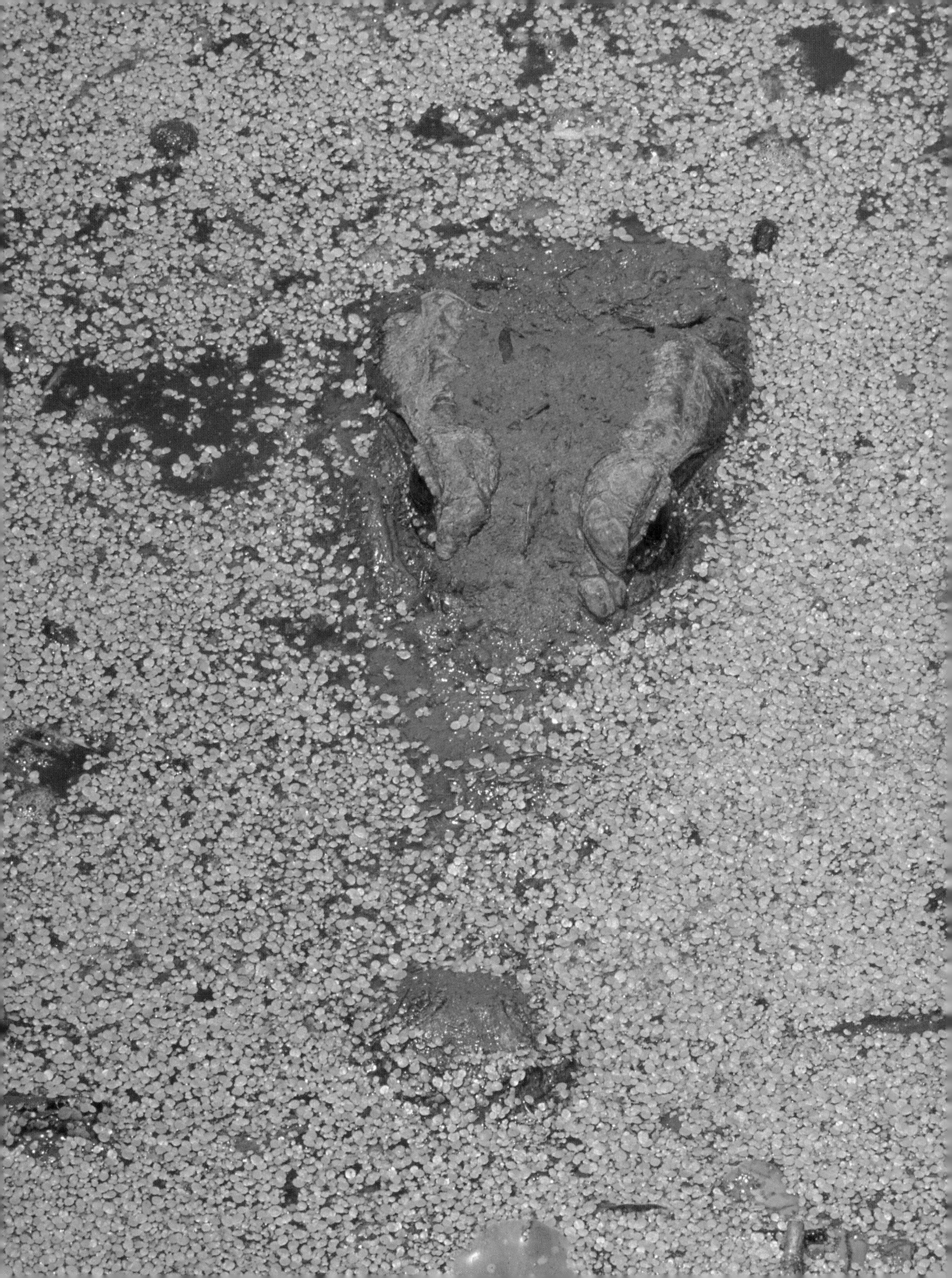

La danse de l'eau

En fin de journée, nous rejoignons un îlot pour y passer la nuit. Le brouillard enveloppe la végétation tout autour de nous. Dans le bain tiède et moite des perles de brume suspendues, l'eau s'agite. Un alligator a quitté la berge, silencieusement, pour glisser sous les eaux du lac. Sa forme se dessine maintenant sous la surface. Il émerge et demeure immobile. Il paraît étonné par notre présence, mais ne semble pas inquiet. Il nous réserve une belle surprise.

Les narines, les yeux et les oreilles de l'alligator sont en position dorsale. Cela lui permet de respirer et d'observer tout en étant presque entièrement immergé.

Avant de grogner, les alligators mâles contractent leurs muscles et émettent des vibrations qui font gicler l'eau sur leur dos. C'est la «danse de l'eau». Ces vibrations parcourent, très rapidement, de grandes distances sous la surface et dans les airs et peuvent être captées par d'autres alligators qui se trouvent très loin.

À travers l'objectif de la caméra, je vois des centaines de gouttelettes jaillir à la surface de l'eau, au-dessus de son dos, comme des petits geysers, tandis qu'il pointe la gueule vers le ciel et commence à grogner. Tout son corps vibre et provoque ce phénomène appelé la «danse de l'eau». Cela ne dure que quelques secondes. C'est très impressionnant.

Il émet des infrasons, à très basse fréquence, qui seront perçus comme autant de signaux par ses congénères.

Nous installons le campement à la nuit tombée. Les alligators vont bientôt partir en chasse et c'est avec quelque inquiétude que nous nous endormons.

En haut : La forme allongée de leur corps, profilée comme «un kayak de mer», offre peu de résistance à l'élément liquide.

Les grognements sont plus fréquents pendant la période des amours, au printemps. Les grognements des mâles sont beaucoup plus audibles et plus graves que ceux des femelles.

Les alligators sont de formidables prédateurs.
Ils sont carnivores et mangent chaque fois qu'ils peuvent attraper une proie.
Ils sont beaucoup plus actifs de nuit que de jour.

Lorsque les ratons laveurs remuent leurs pattes sous l'eau,
on pourrait croire qu'ils lavent leurs aliments.
En fait, ce n'est pas le cas. Ils ne se servent de leurs pattes hypersensibles que pour rechercher et attraper leur nourriture sous la surface.

Page de droite : L'alligator a attrapé un raton laveur.
Il va l'emporter dans l'eau et l'avaler. Il pourra tout digérer,
même les os et la fourrure.

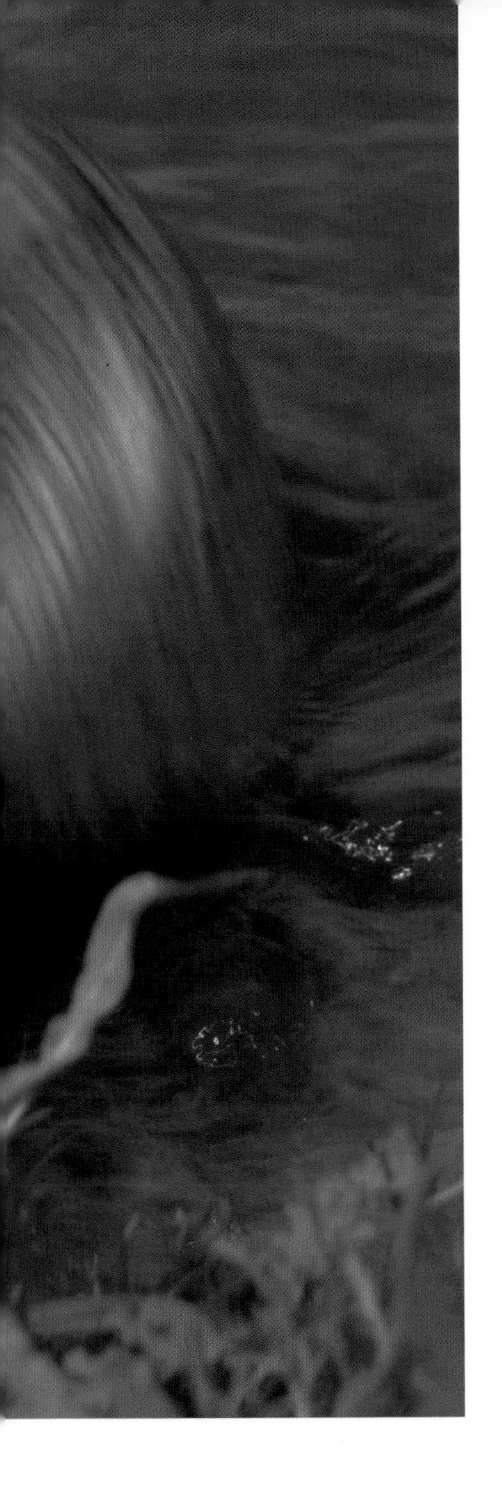

Les alligators affamés

Le lendemain matin, nous sommes à l'affût, cachés dans la végétation. À quelques mètres, un raton laveur essaye d'ouvrir une moule d'eau douce, un coquillage délicieux. Il n'a pas vu l'alligator qui se rapproche de la berge en nageant lentement, ne laissant émerger que ses yeux à fleur d'eau. Nous savons que le raton n'a plus que quelques dizaines de secondes à vivre, à moins que son instinct ne le sauve et qu'il ne décampe de là sans attendre. Mais il est déjà trop tard. Le reptile s'enfonce sous les eaux noires, accélère sa course et bondit dans une gerbe d'écume en ouvrant sa large gueule. Snap ! Les longues mâchoires se referment sur le raton qui se débat puis pousse un dernier cri. J'ai eu le temps de prendre quelques photos. L'alligator reste figé un instant puis se retire à reculons, entraînant sa proie vers les profondeurs.

Les alligators peuvent s'approcher d'animaux qui se tiennent au bord de l'eau sans les faire fuir. Ils repèrent leur proie, puis s'immergent complètement en expirant l'air de leurs poumons. Ils prennent ensuite de la vitesse et surgissent hors de l'eau pour l'attraper. Ils chassent également à l'affût, ne laissant dépasser que leurs yeux et leurs narines de la surface de l'eau. Dissimulés dans la végétation aquatique, ils sont presque invisibles. Grâce à de minuscules bosses situées le long de leurs mâchoires et reliées à des nerfs hypersensibles, ils détectent le moindre frémissement à la surface de l'eau. Ils repèrent leur proie même par les nuits les plus sombres. Comme les chats, ils ont un tissu réflecteur, situé derrière la rétine de l'œil, qui agit comme un miroir et concentre la moindre lumière. Cette « super-vision » et une rapidité d'action foudroyante ne laissent aucune chance à l'animal qui se fait surprendre. Une fois les puissantes mâchoires refermées sur lui, il ne peut plus s'échapper. Un animal de la taille d'un raton laveur ou d'un lapin des marais est entièrement avalé en moins de cinq minutes.

UN ABRI DANS LA TANIÈRE

AU DÉBUT JUIN, Louise me guide vers les tanières d'alligators qu'elle a découvertes l'année précédente. Après une marche sous un soleil de plomb, nous nous arrêtons au milieu d'une vaste prairie, au bord d'une petite étendue d'eau bordée de buissons, où niche un couple de vireos aux yeux blancs.

– C'est ici qu'un alligator a creusé sa tanière, l'été passé, me dit-elle. Pendant la sécheresse, toute l'eau s'est évaporée et j'ai pu en voir l'entrée. Peut-être est-il encore là cette année.

Les alligators ont des pattes de devant pourvues de griffes avec lesquelles ils creusent facilement le sol. Ils installent également leur tanière sous les racines d'arbre, dans les forêts inondées, ou sur les berges des lacs ou des bayous. Ils l'utilisent toute l'année et s'y abritent lorsque la chaleur est excessive ou quand il fait très froid. On a trouvé des restes de proies dans certaines tanières. Il s'agissait d'animaux trop volumineux pour être dévorés sur-le-champ. Les alligators les avaient entreposés là en attendant qu'ils se décomposent, pour les consommer.

Pendant la sécheresse, l'entrée de la tanière est visible. Celle-ci mesure près de cinq mètres de long. En la creusant au milieu de la prairie, l'alligator nous montre qu'il peut s'adapter à des milieux très différents.

Le nid du vireo aux yeux blancs est suspendu à la fourche d'un buisson. Il est composé de mousse, de lichen, de toiles d'araignée et de bandes d'écorce.

Dans le sud-est du Texas, les orages sont fréquents pendant l'été et il peut pleuvoir abondamment. Les tanières d'alligators sont alors, la plupart du temps, recouvertes d'eau.

Page de droite : Les pattes antérieures des alligators ont cinq doigts, les pattes postérieures en ont quatre. Tous les doigts sont pourvus de griffes.

1,40 m du bout d'une aile à l'autre. La grande aigrette est un formidable planeur.

Les tanières peuvent, elles-mêmes, se trouver au fond de grandes cuvettes, également creusées par les alligators. L'eau y demeure plus longtemps lorsque tout s'est évaporé aux alentours. Pendant la sécheresse, ce sont les derniers endroits où survivent les poissons, les tortues, quelques espèces de serpents, ainsi qu'une multitude de grenouilles. Cette abondance de vie attire les grandes aigrettes, les tantales d'Amérique, les cormorans et les anhingas qui nichent dans les environs et trouvent là de quoi nourrir leurs petits. En fait, les alligators jouent un rôle important dans l'écologie de leur écosystème. Ils modifient leur environnement, créant ainsi des refuges pour la faune sauvage. Ils sont bien sûr très friands de toutes ces espèces et ajoutent, de temps en temps, à leur menu, un lapin imprudent, venu là pour se désaltérer. On peut dire qu'ils sont capables de créer leur propre garde-manger.

Avant de quitter la prairie, nous nous apercevons que nous ne sommes plus seuls. Un alligator est tapi dans l'herbe, à une dizaine de mètres, et nous observe. C'est certainement le propriétaire de la tanière. Nous quittons les lieux sans provoquer sa colère.

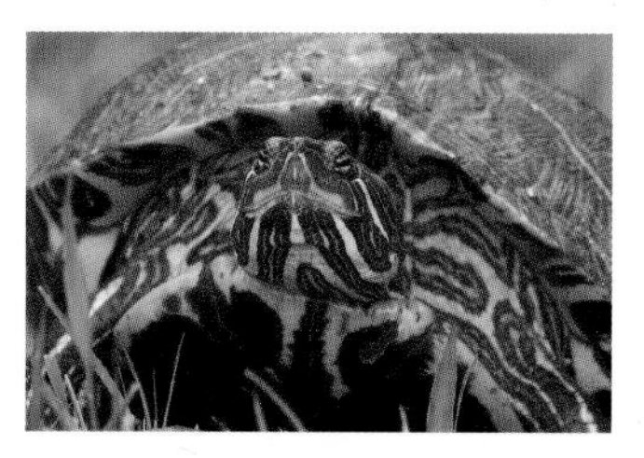

Les jeunes tortues sont carnivores. Elles mangent toutes sortes d'insectes et de mollusques. Elles deviennent végétariennes en prenant de l'âge.

Page de gauche : Les alligators creusent des trous profonds devant l'entrée de leur tanière. L'eau s'y accumule en grande quantité et y demeure plus longtemps pendant la période de sécheresse. Ils utilisent leurs pattes palmées, armées de griffes, et leur museau en forme de pelle pour excaver ces cuvettes.

Le cormoran à aigrettes consomme chaque jour 25 % de son poids en poissons et écrevisses.

L'alligator peut rester à l'affût pendant des heures sans bouger.

Lorsqu'il fait très chaud, les alligators ont souvent la gueule grande ouverte.
Cela leur permet de faire circuler l'air et de se rafraîchir.

Les alligators ont environ 20 paires de dents, coniques et pointues, à chaque mâchoire. Ces dents sont automatiquement remplacées lorsqu'elles sont usées ou brisées.

Le lapin des marais est un excellent nageur. Il peut également plonger et rester sous l'eau quelques instants pour se camoufler à la vue d'un prédateur.

Les mâchoires d'un alligator peuvent se refermer sur une proie avec une force incroyable. Si la proie est trop grosse, l'alligator la mettra en pièces avant de l'avaler.

Un nid au bord de l'eau

Le 21 juin, jour du solstice d'été, les jeunes dendrocygnes sont prêts à quitter le nid et les adultes sont aux aguets. Je découvre un premier nid d'alligator sur les berges de la rivière Big Creek. La femelle a assemblé, tout au bord de l'eau, un monticule de végétation qui ressemble à un nid de cygne. Il en a les mêmes dimensions. Elle a enfoui ses œufs à l'intérieur du nid, mais n'y couve pas. Les matériaux qui le composent se réchauffent sous les rayons du soleil et gardent les œufs bien au chaud. La femelle va demeurer à proximité. Les prédateurs sont nombreux : opossums, ratons laveurs, sangliers et coyotes, qu'elle repoussera à grand renfort de grognements, tout en faisant claquer ses mâchoires et en balayant le sol de sa queue. Elle montera ainsi la garde pendant une soixantaine de jours, jusqu'aux premiers signes de l'éclosion. Je prends quelques photos et quitte le site car l'orage gronde au loin et la pluie commence à tomber.

La rivière Big Creek est sortie de son lit en inondant la forêt alentour et de nombreux nids d'alligator.

Lorsque le nid est construit, la femelle creuse une petite chambre à l'intérieur et pond entre 20 et 50 œufs. Chaque œuf est pondu à un intervalle de trente secondes environ. Le nid peut être construit au même endroit plusieurs années de suite.

Lorsque le nid est inondé et que les œufs sont sous l'eau,
les embryons ne survivent pas plus d'une douzaine d'heures. La femelle peut cependant continuer
de monter la garde pendant plusieurs jours et elle est généralement très agressive.

Je retourne au même endroit après deux jours de pluies abondantes. La rivière Big Creek est sortie de son lit et le site est inondé. Le nid est en partie submergé. Les œufs sont restés dans l'eau trop longtemps. Les coquilles des œufs sont poreuses – ce qui permet à l'oxygène de les traverser – et l'eau s'y est probablement déjà infiltrée, noyant les embryons.

Contrairement aux oiseaux, qui peuvent pondre une seconde fois lorsque la première couvée a été détruite, les alligators ne pondent qu'une fois par an une quantité considérables d'œufs – 25 à 50 – qui sont à la merci des intempéries.

Les nids sont souvent construits au niveau de l'eau, au bord des rivières et des bayous, sur des amas de végétation flottante, ou dans d'autres endroits qui seront inondés lors des fortes pluies qui accompagnent les tempêtes tropicales de l'été. Seuls quelques nids situés sur les berges les plus élevées seront épargnés.

Ces inondations permettent une régulation naturelle des populations d'alligators.

Les dendrocygnes cherchent refuge dans les arbres, où ils peuvent
rester perchés pendant des heures. Ils pondent dans les cavités de ces
arbres et dans les nichoirs installés au bord de l'eau.

Vu d'avion,
le parc de Brazos Bend est une mosaïque
d'eau et d'étendues boisées.

COMBATS POUR UN TERRITOIRE

LE 10 JUILLET, je survole le parc de Brazos Bend avec le pilote Bill Howell. Nous nous dirigeons vers les marais où Bill a vu récemment de très gros alligators.

– Je pense que tu ne t'attendais pas à voir une telle végétation, me dit-il. Les paysages du sud-est du Texas ne ressemblent guère aux étendues désertiques de l'ouest. Ici, il y a de nombreuses rivières, des bayous et des lacs. C'est la présence de l'eau qui concentre les alligators dans cette région.

À la radio, on annonce un avis de tempête. Cela se confirme bientôt. À quelques kilomètres du lieu prévu pour l'atterrissage, les éléments se déchaînent et le petit avion biplace devient vite incontrôlable.

– Il serait trop dangereux de continuer, me dit Bill, nous allons nous poser un peu plus tôt que prévu.

À quelques mètres du sol, les bourrasques mêlées de pluie et de grêle font faire d'impressionnantes glissades à l'avion. Il part à droite, à gauche, pour finalement se poser sur une roue, puis sur l'autre, en rebondissant sur le champ au sol défoncé. Le marais aux alligators n'est plus très loin. La tempête s'éloigne. Nous nous mettons en marche sous une pluie fine éclairée par les rayons du soleil.

Le pilote Bill Howell avant l'envol.

La souplesse de leur colonne vertébrale permet aux alligators de se retourner en un instant pour prendre la fuite.

Propulsés par des pattes musclées et une queue puissante, ils disparaissent dans l'eau en quelques secondes.

Lorsqu'il se sent menacé, l'alligator rassemble ses pattes le long de son corps et se tient prêt à bondir vers l'étendue d'eau où il sera en sécurité.

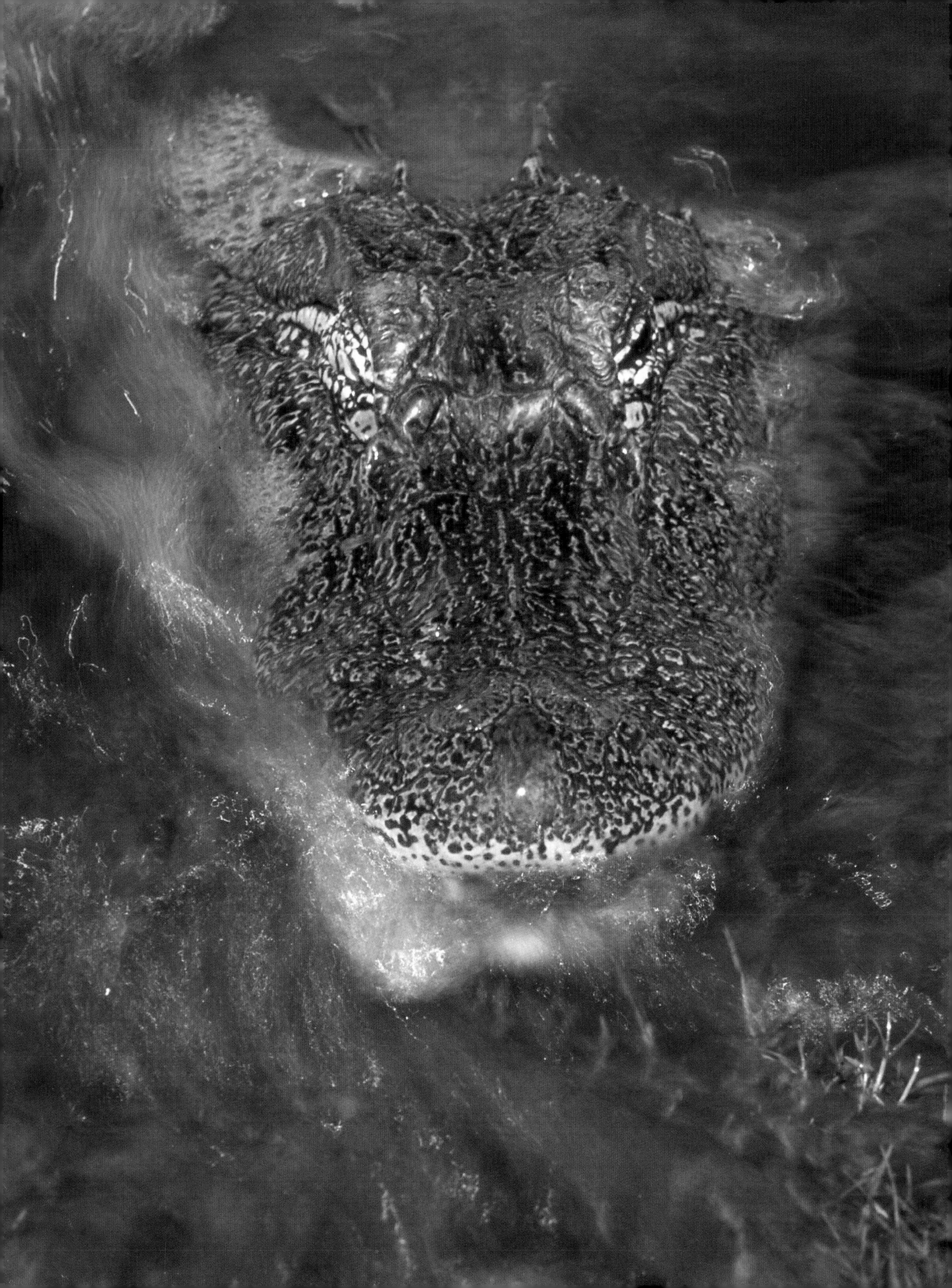

En approchant de la limite nord d'un bayou, nous dérangeons deux alligators qui prenaient le soleil sur la berge. Ils se jettent à l'eau dans une gerbe d'écume. Un peu plus loin, nous apercevons un mâle qui semble plus tranquille. J'ai le temps de le filmer avant qu'il ne se précipite dans l'eau, à son tour, ventre à terre, comme un gros lézard craintif. En fait, il n'a pas peur de nous. C'est un mâle dominant et il se précipite dans l'eau pour chasser un autre alligator qui vient à sa rencontre. Ils sont à peu près de la même taille et gonflent leur corps pour s'impressionner mutuellement. Puis ils se jettent l'un contre l'autre et disparaissent dans un bouillonnement d'eau et de vase. Quand ils resurgissent, j'entends leurs mâchoires claquer avec des coups secs. Ils replongent dans l'eau rougie par le sang.

À cette époque de l'année, les combats sont plutôt rares. C'est au printemps qu'ils sont le plus fréquents, lorsque l'instinct de reproduction déchaîne les passions territoriales. Certains individus peuvent perdre une patte ou bien leur queue dans la bagarre. Les puissantes mâchoires ne pardonnent pas.

C'est essentiellement pendant la période de reproduction, au printemps, que les alligators mâles dominants sont territoriaux. Les combats sont d'une extrême violence et peuvent se conclure par la mort d'un des combattants.

Lorsqu'ils sont en plongée et qu'ils ouvrent la gueule pour attraper un poisson ou une autre proie, les alligators peuvent obstruer leur gosier. Cela leur évite d'avaler trop d'eau et de noyer leurs poumons.

UN NID SUR LA PRAIRIE

À LA FIN du mois de juillet, c'est la sécheresse. De nombreux points d'eau sont à sec. Seuls les poissons les plus résistants survivent dans les dernières mares – mélanges d'eau et de boue – qui s'assèchent chaque jour un peu plus. J'accompagne Louise et les deux naturalistes du parc, David Heinicke et Sharon Hanzik, qui mènent un groupe d'enfants vers un site de tanière découvert l'été dernier. La végétation craque sous nos pas. Il n'y a plus une goutte d'eau sur la prairie. En arrivant sur le site, je peux lire l'étonnement dans les yeux des enfants. Ils retiennent leur souffle et ne disent plus un mot. L'entrée de la tanière est impressionnante. C'est un grand trou béant dans le sol. Un animal de la taille d'un sanglier pourrait facilement s'y engouffrer. Louise, qui a quitté le groupe depuis peu, revient me dire qu'elle a découvert le nid d'un alligator, camouflé non loin de là dans la végétation.

La femelle est peut-être cachée à proximité du nid. Elle pourrait être très agressive si l'on s'en approche. Il serait trop dangereux d'y conduire les enfants.

Nous décidons de ne pas dire un mot de cette découverte. Tandis que le groupe s'éloigne avec les deux naturalistes, Louise décide de contrôler la ponte. Je surveille les environs tandis qu'elle ouvre le nid.

– Il y a quarante-trois œufs, constate-t-elle. Ils devraient éclore vers la fin août. Nous reviendrons alors et pourrons certainement observer la femelle lorsqu'elle aidera les petits alligators à briser leur coquille et à sortir. Les œufs ont une coquille dure, comme celle des oiseaux. Ils contiennent une poche de nourriture qui alimente l'embryon pendant son développement.

Les «poissons aiguilles» du Texas sont parmi les poissons les plus résistants. Ils peuvent respirer dans les eaux les plus boueuses et survivre à de longues périodes de sécheresse.

Chaque semaine, les jeunes élèves des écoles de Houston viennent au parc de Brazos Bend pour étudier les sciences de la nature. Ils semblent très impressionnés par les dimensions de cette tanière d'alligator.

Dans le nid de l'alligator, il y a 43 œufs blancs et durs comme des œufs de poule. Ces œufs donneront de petits mâles si la température, au début de l'incubation, se maintient entre 32 et 34 degrés, et de petites femelles si elle se maintient entre 28 et 30 degrés. Entre 30 et 32 degrés, nous aurons des mâles et des femelles.

Lorsque l'on s'aventure dans la prairie de Brazos Bend,
il faut faire très attention. On peut passer près d'un alligator tapi dans les hautes herbes
sans l'apercevoir. C'est un maître du camouflage.

Les alligators ne se laissent pas capturer facilement.
Il faut savoir attendre le bon moment
pour passer le nœud coulant autour du cou de l'animal.

Lorsqu'il est pris au piège, l'alligator, en colère, se tortille, mord tout ce qui se trouve à sa portée et donne de puissants coups de queue qui peuvent laisser de gros bleus sur les jambes.

La capture des alligators

À la mi-août, les alligators du parc de Brazos Bend ont rejoint la rivière Big Creek et le lac Elm. Ils y resteront jusqu'à la fin de la sécheresse. C'est sur les berges du lac que je rencontre l'équipe du Dr Henry F. Gomez, qui m'a convié à venir photographier et filmer la capture d'un alligator.

– Nous attrapons les alligators pour prélever leur sang et l'analyser, me dit-il. Ainsi, nous arriverons peut-être, un jour prochain, à découvrir pourquoi ces animaux sont si résistants à toutes sortes de maladies et d'infections. Cela aura certainement une utilité pour l'être humain. Une des plus vieilles espèces de la planète pourra peut-être venir en aide à l'une des plus jeunes.

Dennis Jones, un des responsables du parc, fixe une corde, terminée par un nœud coulant, au bout d'une longue perche. Puis il imite le cri d'un animal en détresse et attire un alligator de belle taille. Il laisse filer la corde autour de son cou. Pris au piège, l'animal se débat violemment.

La corde glisse et vient se resserrer sur sa mâchoire. L'alligator demeure un long moment immobile et plonge en essayant de se libérer. Avant que Dennis ne le tire sur la berge, il fait plusieurs tours sur lui-même et se couvre d'un manteau de végétation aquatique. Enfin, Dennis parvient à lui glisser la tête dans un large tuyau. L'alligator est maintenant incapable d'ouvrir la gueule et de mordre. Les autres membres de l'équipe lui attachent les pattes. L'opération la plus délicate commence lorsque tout le monde a repris son souffle. On retire lentement le tuyau et on lui muselle la gueule avec du ruban adhésif. Une fois rendu inoffensif, il est mesuré et marqué. Un échantillon sanguin est prélevé. L'animal est ensuite relâché. Cette spectaculaire opération s'est déroulée sous les yeux de quelques touristes qui ont pu s'approcher pour prendre des photos.

C'est au début du siècle dernier que les naturalistes ont commencé à étudier l'alligator américain. Au cours des années 1990, au refuge de Rockefeller, en Louisiane, des alligators ont été capturés et munis de colliers émetteurs. Les biologistes ont ainsi pu les suivre au fil des saisons et connaître leurs déplacements ainsi que la taille de leur territoire. Au Texas, ma partenaire, Louise Hayes-Odum, a étudié leurs habitudes alimentaires dans le refuge de J. D. Murphree et continue d'étudier leur comportement et leur reproduction dans le parc de Brazos Bend. Est-il cruel de capturer et de marquer un alligator ? Je pense que non. Toutes ces opérations sont effectuées sans blesser l'animal et en essayant de le stresser le moins possible. Les informations obtenues pendant des années de travaux sur le terrain, à travers tout le sud-est des États-Unis, ont apporté une meilleure connaissance des alligators. C'est cette connaissance qui permet de mieux protéger l'espèce.

Chaque soir, les alligators regagnent leurs zones de chasse. Ils nagent silencieusement sur les eaux du lac Elm où se reflète le soleil couchant, les pattes le long du corps, en se servant de leur queue comme d'une godille.

Lors de la prise de sang, deux ou trois personnes ne sont pas de trop pour maintenir l'alligator immobile.

Une fois la prise de sang effectuée, l'alligator est relâché. Ce n'est pas la tâche la plus facile car il peut choisir de se retourner contre ses « agresseurs ».

NAISSANCE DES ALLIGATORS

LE 25 AOÛT, David m'annonce une mauvaise nouvelle.

Les sangliers sont venus rôder près du nid de la prairie, me dit-il. Ils l'ont détruit en partie et quelques œufs ont été dévorés.

Ce nid a sans doute été abandonné par la femelle. N'ayant plus d'eau à proximité, elle a dû quitter l'endroit il y a déjà plusieurs semaines. Cette année, de nombreux nids d'alligators ont été pillés par les ratons laveurs et les sangliers. En voilà un de plus. Si nous voulons sauver les derniers œufs, qui doivent être sur le point d'éclore, il faut aller les chercher avant qu'il ne fasse nuit et que les prédateurs nocturnes ne reviennent. C'est une occasion inespérée pour en faire profiter les enfants d'une école de Houston qui viennent aujourd'hui, dans le parc, pour un cours de sciences de la nature. Nous nous rendons sur le site en début d'après-midi. Quelle n'est pas notre surprise d'entendre les cris des bébés alligators qui sont nés il y a quelques heures à peine. Délicatement, David ouvre le nid et sort les nouveau-nés, les uns après les autres. Il aide un retardataire à briser sa coquille, comme le ferait sa mère. Ensuite il explique aux enfants que les bébés vont être mis en observation pendant quelques jours et qu'ils

pourront l'accompagner lorsqu'il ira les relâcher auprès d'une autre femelle dont les petits sont nés il y a peu de temps.

Elle les acceptera très certainement, selon lui. Ils se mêleront aux autres jeunes et elle ne fera pas la différence. Elle protégera toute la marmaille contre d'éventuels dangers.

Lorsque tout se déroule naturellement, c'est la femelle qui vient ouvrir le nid dès qu'elle entend les cris des nouveau-nés. Il faut environ deux mois pour qu'un petit alligator se forme complètement à l'intérieur de l'œuf. Et sortir de là est bien plus difficile qu'on ne peut l'imaginer. Lorsqu'il est prêt à respirer, le petit alligator perce un trou dans la coquille et pointe son museau à l'air libre. C'est épuisant ! Cela prend du temps et de l'énergie. Cette naissance est tout à fait semblable à celle d'un oisillon. Répondant à cette apparition, sa mère peut venir l'aider. Elle saisit délicatement l'œuf dans sa gueule et achève de l'ouvrir en brisant la coquille entre sa langue et son palais. Puis elle emporte le petit vers l'eau, où il est tout de suite très à l'aise.

Le nid mesure 70 cm de haut et 1,80 m de large.
Il est composé des divers végétaux que la femelle a arrachés et entassés.
De la boue a été ajoutée, qui maintient l'ensemble.

Lorsqu'il est encore dans l'œuf, l'alligator est enroulé sur lui-même, la tête contre le ventre. Peu de temps avant la naissance, une petite « dent » se forme sur le dessus de son museau. Il s'aide de cette dent pour percer la coquille et se libérer. La sortie de l'œuf est généralement ponctuée de courtes périodes de repos, pendant lesquelles les petits communiquent entre eux. C'est à ce moment que les fourmis voraces peuvent entrer en action. Chaque été, elles dévorent de nombreux jeunes à peine sortis du nid.

Page de gauche :
Lors de l'éclosion des œufs, lorsqu'elle entend les petits pour la première fois, la femelle vient ouvrir le nid en s'aidant de ses pattes de devant et de son museau allongé. Les petits sont bruyants. Cela lui permet de les localiser dans le nid.

Les ratons laveurs sont les principaux « consommateurs » d'œufs d'alligator dans le parc de Brazos Bend. Chaque année, ils détruisent un nombre considérable de nids.

Les sangliers mangent à peu près n'importe quoi : des champignons, des racines, des escargots, des serpents. Ils creusent le sol pour trouver leur nourriture et pillent, à l'occasion, un nid d'alligator pour en dévorer les œufs.

Pendant les longues journées d'été, les jeunes ne quittent leur mère que pour aller se nourrir. Ils plongent sous la surface et remuent le fond de l'eau pour attraper des vers, des crustacés et de minuscules poissons. Ils remontent à la surface comme des bouchons, en se maintenant en équilibre avec leurs petites pattes palmées.

Les enfants mesurent et pèsent les bébés alligators,
puis ils comparent leur taille avec celle d'un crâne d'alligator adulte.
S'il mesure 20 centimètres à la naissance,
le petit aura grandi d'environ 20 fois cette taille
lorsqu'il sera très vieux et mesurera près de 4 mètres.

Âgés d'environ une semaine, les bébés alligators
sont encore très fragiles. Lorsque les enfants les prennent dans leurs
mains, ils font très attention de ne pas les blesser.

LES PETITS SONT ADOPTÉS

À LA FIN AOÛT, je retrouve David, Sharon et les enfants au centre d'accueil du parc. Tout le monde est en pleine activité. Sharon marque chaque alligator avec une bague métallique qu'elle place entre deux orteils des pattes de derrière. Sous l'œil vigilant de nos deux naturalistes, les enfants mesurent et pèsent chaque petit. Toutes les informations sont consignées dans l'ordinateur du centre.

– La bague porte un numéro, me dit Sharon. Au cours de ces prochaines années, l'un de ces alligators sera peut-être capturé, dans le cadre d'un travail de recherche, et cette bague nous permettra de l'identifier.

En début d'après-midi je les accompagne jusqu'au bayou où ils vont relâcher les bébés alligators. C'est, ici, le territoire de la femelle dont les petits sont nés il y a quelques jours.

Arrivés sur le site, nous observons une dizaine d'entre eux qui prennent le soleil sur la berge. Ils nous aperçoivent et c'est aussitôt la débandade. Leurs cris de détresse, semblables à des «umph» «umph», attirent l'attention de leur mère qui demeurait camouflée dans la végétation. Je commets alors l'imprudence de vouloir la photographier de trop près. Elle jaillit hors de l'eau, et j'évite ses mâchoires de justesse. Je continue à attirer son attention pendant que David et les enfants relâchent les bébés dans le bayou. Ensuite nous nous installons non loin de là pour observer. La femelle disparaît sous les eaux noires et émerge au milieu de sa progéniture. Ils font connaissance. Les nouveaux arrivants semblent être définitivement adoptés.

Le dos de l'alligator est garni de centaines
d'écailles très résistantes qui recouvrent des plaques osseuses
et forment un vrai bouclier. Il semble porter une armure,
comme celle d'un chevalier du Moyen Âge.

La famille s'est agrandie d'une trentaine de petits êtres turbulents qui se dispersent, à la recherche d'insectes, de vers et de têtards. Leur mère ne les nourrit pas. Ils doivent se débrouiller seuls. J'en aperçois un qui s'approche d'une belle libellule posée sur un nénuphar. Il avance en poussant devant lui un tapis de lentilles d'eau, puis il jaillit pour attraper sa proie, mais il manque de rapidité. La libellule s'envole. Il reprend sa nage saccadée et grimpe sur le museau de sa mère, sous l'œil indifférent d'un anhinga qui fait sa toilette, perché sur une branche, non loin de là.

Une branche est tombée dans l'eau, pendant la nuit.
Comme elle offre une bonne protection contre les prédateurs, les jeunes alligators s'y sont installés, couchés les uns sur les autres.

On pourrait le confondre avec un cormoran : c'est l'anhinga, qui est aussi appelé « l'oiseau serpent », à cause de sa façon de se mouvoir dans l'eau et de son long cou terminé par une tête effilée au bec pointu.
Le mâle se distingue de la femelle par son plumage noir.

Scène de tendresse dans les marais de Brazos Bend.
Une mère alligator aide son petit à grimper sur son museau en donnant de légers coups de tête.

Les bébés ne sont encore que des répliques miniatures de leur mère, ne mesurant pas plus d'une vingtaine de centimètres. Tachetés de jaune et de noir, ils se dissimulent parfaitement dans la végétation et sont presque invisibles lorsqu'ils restent immobiles parmi les plantes aquatiques ou les feuilles tombées sur le sol. Et c'est une question de survie. Tout en découvrant leur milieu naturel, ces petites créatures aux yeux immenses doivent se camoufler à la vue des prédateurs ailés qui sont à l'affût au bord des lacs et des bayous.

Pendant la première année de leur existence, quatre-vingts pour cent d'entre eux disparaîtront dans la gueule des poissons, des loutres et des serpents, ou dans le bec des hérons et des chouettes rayées.

Contrairement aux autres hérons, qui se nourrissent essentiellement de poissons, le bihoreau violacé se régale d'écrevisses qu'il trouve en abondance dans les marais du parc de Brazos Bend.

Page de gauche : Le cri de la chouette rayée est un cri familier dans les marais du sud du Texas. Elle chasse la nuit et le jour dans les zones boisées marécageuses. Elle mange des écrevisses, des serpents, des petits rongeurs, des insectes et occasionnellement un petit alligator.

Les jeunes alligators restent avec leur mère pendant deux ou trois ans. Comme les femelles peuvent se reproduire chaque année, il n'est pas rare de voir des nouveau-nés à côté de jeunes qui ont deux ou trois fois leur taille. Et tout le monde s'entend très bien.

L'ERRANCE DES JEUNES ALLIGATORS

VERS LA MI-SEPTEMBRE, la pluie tombe pendant plusieurs jours. Une partie du parc est inondée pour le plus grand plaisir des alligators que l'on rencontre maintenant dans les endroits les plus inhabituels. Louise en capture un près du centre d'accueil du parc, au pied d'un vieux chêne où l'eau de pluie s'est accumulée en formant une petite mare. Ce jeune alligator est venu s'y reposer, en attendant de continuer sa «randonnée» à travers le parc. Le site est proche de la route d'accès et l'animal risque de se faire écraser. Louise ira bientôt le relâcher dans le bayou le plus proche.

Lorsque les jeunes alligators sont âgés de deux ou trois ans, ils quittent leur mère et partent à l'aventure. Ils errent de lacs en bayous, à la recherche d'un point d'eau où ils pourront s'installer. C'est une période difficile de leur existence. En se déplaçant comme ils le font, ils peuvent se faire croquer par un alligator de plus grosse taille. Ceux qui parviennent à échapper à tous les estomacs affamés peuvent vivre longtemps et devenir très gros. Dans des conditions idéales, les jeunes alligators grandissent d'environ trente centimètres par an, pendant les cinq premières années de leur existence. Puis leur croissance ralentit pour se poursuivre toute leur vie durant. On m'a raconté qu'un très gros alligator avait été attrapé, en 1890, lors d'une partie de chasse en Louisiane. Il mesurait plus de six mètres et devait peser près d'une demi-tonne. En existe-t-il encore de semblables dans les marais de Brazos Bend ?

Lorsqu'une tempête tropicale frappe le sud-est du Texas, après une période de sécheresse, des pluies abondantes et des vents violents s'abattent sur le parc de Brazos Bend, qui peut rester inondé pendant plusieurs jours. Les jeunes alligators quittent alors les endroits trop fréquentés, où les agressions sont quotidiennes, et rejoignent les petites étendues d'eau, voire les mares où ils sont en sécurité.

Les alligators mâles grandissent un peu plus rapidement que les femelles. Le long des côtes du golfe du Mexique, les mâles peuvent se reproduire quand ils atteignent sept ans, les femelles ne sont fertiles qu'à partir de neuf ou dix ans.

L'alligator avance vers moi,
tandis que je suis allongé sur le sol pour le photographier.
Je peux alors détailler la forme profilée de son corps qui n'offre que peu de résistance à l'eau lorsqu'il nage.

Avant de devenir une réserve naturelle protégée, ouverte au public en 1984, le parc de Brazos Bend était un grand ranch où les alligators ne voyaient probablement que du bétail. On y a construit des sentiers de randonnée. Les alligators les empruntent maintenant volontiers pour se rendre d'un point d'eau à un autre, pour la plus grande joie des promeneurs.

L'alligator se déplace en «marche haute» lorsqu'il n'est pas inquiété.
C'est une marche très lente. Il pose ses pattes lourdement sur le sol et laisse traîner sa queue qui creuse de profonds sillons derrière lui.

À TRAVERS FORÊTS ET MARAIS

J'AI EU MA PREMIÈRE «rencontre de proximité» avec un alligator sur un sentier du parc de Brazos Bend. Il traversait ce sentier chaque matin pour se rendre jusqu'au lac Elm où il passait la journée. Je l'attendais, allongé sur le sol, pour le photographier. En me voyant aussi vulnérable – je devais certainement ressembler à une grosse proie –, il a soudainement changé de direction et s'est dirigé vers moi à vive allure, le ventre au ras du sol, propulsé par quatre pattes musclées. J'ai échappé de justesse à ses mâchoires et j'ai appris, ce jour-là, que les alligators pouvaient se déplacer très rapidement sur le sol et sur de courtes distances. Lorsqu'ils ne sont pas aussi excités, et qu'ils se déplacent plus lentement, ils adoptent une position, unique aux crocodiliens, qui est la marche haute. Les pattes tendues, ils avancent lentement, le corps très en hauteur. Seule leur queue traîne derrière eux et laisse un sillon sur le sol.

Les femelles demeurent toute l'année proches de l'endroit où elles construisent leur nid. Ce sont les alligators mâles qui se déplacent le plus. Et ils s'orientent facilement. Dans le parc des Everglades, en Floride, on a, un jour, capturé un alligator que les touristes avaient trop souvent nourri. Il avait perdu sa méfiance naturelle envers les êtres humains et, de temps en temps, il était assez intrépide pour suivre des promeneurs sur un sentier, dans l'attente de quelque chose à manger. Devant le danger d'un tel comportement, les gardes l'ont capturé et relâché loin des endroits fréquentés. Deux mois plus tard, il était de retour, là où on l'avait capturé. Il avait parcouru plus de trente kilomètres à travers les marais !

Lorsqu'il se sent en danger sur le sol,
l'alligator s'enfuit le ventre à terre en se propulsant
avec ses pattes musclées.

L'HIVER DES ALLIGATORS

Dans les fermes d'élevage du Texas, de la Louisiane et de la Floride, les procédés modernes permettent aujourd'hui d'élever les alligators dans des conditions sanitaires idéales. Certaine fermes de Louisiane offrent même un programme musical «anti-stress» à leurs pensionnaires.

Une pellicule de glace s'est formée sur le lac Elm. La femelle alligator est seule. Ses petits sont à l'abri du froid, au fond de la tanière.

JE QUITTE LE TEXAS vers la mi-novembre. D'ici deux mois, les températures seront plus fraîches et les alligators demeureront cachés sous l'eau, qui restera plus chaude que l'air ambiant. Ils ne se nourriront presque plus. L'hiver n'est pas la meilleure période pour les observer. À l'approche d'une période de gel, ils rejoindront des eaux peu profondes où ils attendront, presque immobiles, que la glace se forme. Ils pourront ainsi garder une ouverture, à travers cette glace, et continuer de respirer.

Les peaux d'alligator sont tannées et colorées avant d'être transformées en ceintures, sacs à main, bottes et chapeaux. On produit également des peaux artificielles qu'il devient de plus en plus difficile de distinguer des vraies.

Les alligators sont élevés pour leur peau mais aussi pour leur viande qui sera transformée en biftecks, brochettes et saucisses, pour le plaisir de certains gourmets.

Ils ont une grande endurance au froid. Ils peuvent rester des semaines sans se nourrir et guérir des plus graves infections. Cette incroyable résistance est certainement ce qui leur a permis de survivre depuis l'époque où ils côtoyaient les grands dinosaures. J'ai suivi leurs traces pendant plus de deux ans et ils m'impressionnent toujours autant. Ils construisent des nids et pondent des œufs comme les oiseaux, grognent comme des lions; ce sont des animaux fascinants, véritables rescapés de l'évolution. En les regardant et en me rappelant les scènes auxquelles j'ai eu le privilège d'assister, dans les marais de Brazos Bend, quand la fureur d'un combat alternait avec la tendresse d'une scène familiale, je me dis qu'ils méritent mieux que de finir sous la forme d'une paire de bottes ou d'un sac à main.

C'est pourtant la triste fin que connaissent les alligators qui sont élevés dans des fermes, à travers le sud-est des États-Unis.

Sur les 23 espèces de crocodiliens qui peuplent la planète et qui regroupent les alligators, les crocodiles, les caïmans et les gavials, une quinzaine sont exploitées pour leur peau. Au moins deux millions d'alligators, crocodiles et caïmans d'élevage sont tués, chaque année, pour fournir le marché international de la maroquinerie. Les peaux sont tannées et transformées en produits de luxe que l'on retrouve sur les étagères des grands magasins. Certaines espèces protégées, comme le caïman noir du Brésil, l'alligator de Chine, le crocodile de Morelet et le crocodile de Cuba, continuent à être braconnées et sont maintenant sur la liste des espèces les plus menacées. Protégé depuis les années 1960, l'alligator américain n'est quant à lui pas en danger d'extinction. Les marais et les bayous du sud-est des États-Unis en abritent près de deux millions. Trois cents d'entre eux vivent en totale liberté dans le parc de Brazos Bend.

Les alligators et les hommes

Sur mon chemin de retour vers le Canada, je m'arrête dans le le sud du Colorado, dans la petite ville de Mosca pour visiter le parc d'attractions *Colorado Gators*. J'y photographie le propriétaire des lieux, Jay Young, qui, deux fois par jour, n'hésite pas à plonger dans un lac pour capturer, à mains nues, un très gros alligator. Après quelques simulacres de combat, il parvient à le tirer sur la berge. Les spectateurs les plus courageux viennent alors se faire photographier sur le dos de l'animal. L'alligator est ensuite généreusement récompensé par de beaux poissons frais.

– C'est une nourriture facile qui l'encouragera, lui et quelques autres gros alligators, à se laisser capturer à nouveau sans opposer de résistance, me dit-il.

Cela dure depuis plusieurs années et le dresseur est toujours en vie. Quelques films et documentaires ainsi que de nombreux récits ne nous présentent souvent que l'aspect le plus menaçant des alligators, malgré le caractère exceptionnel de leurs agressions. En fait, les alligators sont beaucoup moins dangereux que d'autres espèces comme le crocodile du Nil et le crocodile marin qui sont de véritables mangeurs d'hommes. Les alligators sont des animaux très impressionnants et très attirants et il nous reste bien des choses à apprendre sur leur comportement.

Le dresseur montre au public comment s'asseoir en toute sécurité sur un alligator.

Les séances de capture des gros alligators, à mains nues, attirent beaucoup de monde.

Les enfants sont bien plus téméraires que les adultes.
Ils sont les premiers à vouloir s'asseoir sur le dos de l'alligator.

Dans les parcs d'attractions du sud-est des États-Unis,
les alligators, comme les dauphins et les orques, font partie des attractions
préférées des touristes.

Les 23 espèces de crocodiliens

Certaines espèces protégées, comme le caïman noir du Brésil, l'alligator de Chine, le crocodile de Morelet et le crocodile de Cuba, continuent à être braconnées et sont maintenant sur la liste des espèces les plus menacées.
Manquent ici en images : le crocodile des Philippines (Crocodylus mindorensis) et le caïman Yacare.

1 Alligator du Mississippi
Alligator mississippiensis – alligatorinae

2 Alligator de Chine
Alligator sinensis – alligatorinae

3 Caïman à lunettes
Caïman crocodylus – alligatorinae

4 Caïman à museau élargi
Caïman latirostris – alligatorinae

5 Caïman noir
Melanosuchus niger – alligatorinae

6 Caïman à front lisse
ou caïman Cuvier nain
Paleosuchus palpebrosus – alligatorinae

7 Caïman à front lisse de Schneider
Paleosuchus trigonatus – alligatorinae

8 Crocodile américain
Crocodylus acutus – crocodylinae

9 Faux gavial africain
ou crocodile à museau fin
Crocodylus cataphractus – crocodylinae

10 Crocodile de l'Orénoque
Crocodylus intermedius – crocodylinae

11 Crocodile de Johnston
Crocodylus johnstoni – crocodylinae

Illustrations : Urs Woy, Erlenbach-Zurich, « Guide d'identification CITES » (www.cites.org)